KB103227

# 꽃을 알면 꽃말을 알 듯

임재의

시인의 말

인연이 눈처럼 내리는 하루들이 있었다

수개월 후면
물이 되어버리곤 했다

2024년 1월
임재의

# 차
# 례

· 시인의 말

# 1부 - 기억을 걷어내는 시간

1부, 기억을 걷어내는 시간

## 묻다

너를 묻는 일이
내 밤을 자주 묻는다

# 체온

내 존재가 불안하기에
품이란 불안합니다

제 향기가 사람들을 불러모았고
제 한기가 사람들을 몰아냈습니다

위로에도
온도가 있는데요

저는 차가운 쪽을
더 달게 받는 편입니다

영하의 것들이 우울을 곱할 때
한파에 살을 맞대듯
마음이 다 데워졌습니다

## 저물다

낭만이 상식이라 불리우는 것들에 감춰졌다

그렇다고 소멸한 것 하나 없었다

## 야경 - 23.12.15

시인들은 별을 헤아린다

서울에 처음 온 밤
별 대신
나는 도심의 불빛을 하나씩 세어보았다

별빛은 아득하나
수도의 빛들에는

생이 들어있었다
생과 생이 이렇게나 가까이 있다

도시의 하늘은 숨이 멎었는데
지면 위론 호흡끼리 맞붙는다

택시 몇 대가 유성우처럼 지나갔다

## 눈사람

눈사람을 안으면
눈사람은 따뜻하겠지
그런데 눈사람은 따뜻하면 안 돼
눈사람은 차가우니깐
차가운 것들을 안아야만 해
우리 체온이 따뜻한 것도
같은 이유일 거야

## 인사

미안합니다, 미안합니다
땅 아래로 굽신거리는 일

아닙니다, 고개를 드세요
흙이 울리는데 닿지는 못하고

경계로는 국화 몇 송이가 떨어진다

**양궁**

같은 곳을 노려보는 사람들이 경쟁하려 모인 자리,

화살에 화살이 갈라지는 일도 잦았다

# 어린 날의 기억

고백했다, 아버지께서

내 단점이 너한테서 보이면 용납이 안된다고
그래서 내게 화를 낸다고 말씀하셨다

난 그런 아버지를 용납할 수 없었다

이따금씩 유전이 미운 날들이 있다

## 응원

힘내, 열심히 해, 잘 되길 바라
한 마디 한 마디 응원도 좋지만

한 걸음 한 걸음 옆에서 뛰는
그런 고요하지만 묵직한 응원이 있다
넌 잘할 거야
행운을 빌기보단
자 눈 떠봐,
우리 벌써 여기까지 왔다고 말하는

그런 응원이 건네주는 오뚝이 같은 청춘의 나날들

## 스무 걸음

순간의 기억으로 평생을 살아가는 사람들이 있다
같은 기억을 계속 곱씹으니 그리워지기도 하겠지
무언갈 좇는 사람들은 이를 미련하다고 여겼지만
꿈이 닳아없어진 뒤엔 기억들이 공허를 메꾸었다

# 눈꽃

정예진 씀

허울뿐인 예쁜 꽃
바람만 날려도 부서져
자신이 꽃인 줄 알고
봄을 기다리네
주제를 모르는 꽃
발짓만 해도 없어질 것이

어리석은 꽃
꽃인 줄 아는 눈을 사랑했네
주제도 모르게 마음에 담았네

내 너를 위해 봄을 당겨오리
따뜻해지기 전에 너를 안아보리

# 별똥별

별똥별이 예고된 밤하늘 아래
아이와 아버지가 서있다

얘야, 욕심은 나쁜 거란다
꼭 순수한 소원만을 빌으렴

이내 별 하나가 스치듯 떨어지고,
아버지는 가정의 화목과 안정적인 미래를 빌었다

아이는 눈을 감고
떨어진 별똥별이 아프지 않기를 빌었다

# 마른 꽃

난
마른 꽃이
더 좋아

조금 비틀어져
있더라도

눈이 멀도록 아름답게
찬란히 쏘아대는 생기보단

잔잔히 추억을 띄워주는
그 초라한 뒷모습이 좋아

## 첫 호흡을 떼는 일이 익숙해지고

난 오늘에 오기까지 다섯 번은 죽었습니다

사람은 스스로를 속일 때
새로 태어나곤 하고

줄기 같은 신념이 잘려나갈 때
시든 꽃처럼 죽어버립니다

구원

한 단어의 무게를 배운 적이 있습니다
새사람으로 태어나려
짓눌리고
상실한다

그런데 제게 주어지는 삶은 가볍게 내려앉는 걸요
망가진 자아를 망각함으로 그 값을 내고선
매일같이

굳은살 벤 손길로 잘 짜인

내일이 떠오를 때면
낯익은 상처를 받고

표정 없는 태도로 약을 바르고

선선한 오후 즈음에는
여섯 번째 삶이
제게 주어질지도 모르겠습니다

무르익은 눈빛이 사람의 마음을 열고 영혼과 영혼
은 언어로 맺어지며

저는 매일을 침묵하였습니다

남은 날 족쇄 같은 후회를
도장처럼 꾹 눌러 찍어두었습니다

# 기다림

익숙해진 병원 내음

이곳은 균형 잡히지 못한 이들이
처방받으러 오는 건물입니다

어느 기다림이든 길어질수록
보통 긴장이나 불안 따위를 주는데

이곳의 사람들은 나와 닮아있으면서
잘 웃고
잘 걷습니다

저는 이들을 보는 것만으로
위로를 받기도 하고
나도 모난 점 없이 살아갈 용기가 생기고

지금도 병원 소파에 기대서 글을 적습니다
내과 같기도 한 이곳이 집 같을 때도 있습니다

## 깍지

우리는 겨울에 이별했다

마지막으로 잡았던 네 손이
유독 많이 차가웠는데

그럼 너는
그만큼 내 손이
따뜻했겠구나 싶어서

다행이라는 마음이다

# 꽃이 있는 곳으로

나비란 이름의 유래가
나불나불 거리며 날다
그래서 낣이야 하다가
굳어버린 게 나비라고

한편으론 시간이 잘못 고쳐가는 이름은 없는지

어쩌면
상식을 가식으로
탄식을 상식으로

어쩌면
값을 갑으로
샀을 넋으로
꿈을 굶도록

어쩌면
청춘은 정말 앓음답도록 만들어진 건지

시간의 엉겹이

우리를 오명으로 덮어왔으나

주저할 것 없다
여전히 나비는 난다

낡이가 나비가 되어도
나불나불 거리며,

# 2부, 여름의 종말

## 장마

어느 품에든 꼭 안겨
사랑을 읊조리고 싶은 밤

밤새도록
무언가 희고 긴 게 쏟아진다

세 뼘 정도 되는 창으로 비가 샜다

(결코 젖은 적 없었다)

## 가뭄

불행이 한차례 흐르고
울기에는 너무 슬펐다

기댈 곳이 무너진 이들은
소리칠 곳을 잃어버려서
가시가 안으로 돋아나고

사람이 한숨을 쉬는 건
들이켰던 숨이 무겁기 때문에

그래서 세상 어딘가엔
시끄러운 침묵이 있다

## 어떤 사랑은 바다 같았다

어떤 사랑은 바다 같았다

눈부신 물결
아득한 수평선
뜨거운 모래알

그러나 더 이상 앞으로 나아갈 수는 없었다

# 꼬리

과거형으로 대화를 마무리했다
딱 한 글자만큼의 작은 변화였다

그냥 꼬리가 조금 길어진 것이다

뒤를 돌아야 비로소 보이는 것들이
날 밟히는 존재로 만든다

후회가 없어서 잘라내고픈 부분이 없었다
어색한 그리움만 내게 밉게 붙어 다닌다

꽃

물을 쏟아댔더니 햇살 없이도 꽃이 하나 피었다

검은 호수에서 나오는 물은
염분이 조금 있던 게 원인인지

꽃은 아침이 올 때마다 길을 잃었다

뿌리를 밤에 내려야 할 것이
낮이면 곧잘 내 가슴으로 기생하니

햇볕 아래 설 때면 난 타죽는 기분이다

## 그리고 반가운 겨울 날씨

우울은 슬픔보다 상실감에 가까웠다

몸에 자국들을 내어 마음을 채우려는 시도와

# 폐

쪼그라들었다 팽창하기를 수억 번
무시했다, 난 숨을 폐기하는 사람처럼 누워만 있었다

아무것도 남지 않는 삶이 흡연하듯 평화로웠다

## 굴레 안에서

변하기를

바라면서 아무것도 하지 않는 내가

변하기를

## 계절에

겨울이 되며 그대를 떠나보냈습니다
겨울이 지나기 전에 다 잊었습니다

그러나 곧 눈이 내리면
다시 쌓일 겁니다
처음인 것처럼

저는 아무래도 사계를 처음부터 다시 보낼 것 같습니다

# 향수

사람의 추억이 잊히는 데엔 순서가 있다고 합니다

첫 번째로 잊는 것은 미각의 기억
두 번째로 잊는 것은 청각의 기억
세 번째로 잊는 것은 시각의 기억

마지막까지 살아 숨 쉬는 것은
체취와 같은 후각의 기억이라고 합니다

당신은 향기가 될 운명이라 증발했나 봅니다

볼 수도 들을 수도 없는 한 사람이
내 마음속 이곳저곳 향처럼 배어있습니다

## 이행시

살을 파고 들어오는 이상과 현실의 괴리감에
인정한다, 내 꿈은 달콤하지도 완벽하지도 않았다고

## 오래 남는 것

어떤 자극들은
기억에서 흐르지 않고 정착한다

밤의 모서리에는
더는 안부를 물을 수 없는 것들의
그림자가 드리워있고

그와 비슷한 발자국이
내 마음에도 두엇 쯤 있다

추억을 추억으로써 묻는 일에 실패한다
소화불량이 결핍을 고립시킨다

# 방 정리하기

약을 걸렀더니 잠이 잘 안 온다

내 방 여러 군데에 네가 깃들어있다

내 옷에도 내 왼손 약지에도 스며들어있다

은반지가 유리가 아닌데 계속 네가 비쳐 보인다

편지는 버릴까 말까 한참을 고민하다가
오래 읽지 않은 것 같아서 보았다

처음 읽었을 때와 같은 문장에서 울었다

약을 먹었는데 잠이 잘 안 온다

널 버리다 말고 깊숙한 곳에 보관해두었다

## 단칸방 황혼

좁은 방에서
부러질 듯 얇은 팔베개를 내어준 채
한참을 무표정으로 천장만 바라보던 네가
삐걱거리며 입을 열었다.

새벽의 색깔을 묻는다면 뭐라고 대답할 거야?
넌 오래전부터 줄곧 알 수 없는 말들을 늘어놓곤 했다.

하늘 색 그대로 남색이나 보라색?
해가 지고 그림자가 세상을 드리웠으니 새까만 검은색?
아니면 밤새 켜져 있는 네 휴대폰 불빛의 흰색?

시답잖은 질문에 졸음이 몰려왔고,
나도 모르게 대답을 걸렀다. 습관처럼.
그럼 넌 다시 죽은 눈을 하고 천장만 계속 쳐다본다.
오늘은 네 체온이 평소보다도 차가워서 괜히 이불을 더
세게 끌어당겼다. 이불의 온기에 짓눌리듯 잠이 온다.

잠결엔
울먹이는 네 목소리가 잠꼬대 마냥 들렸다.

울음 섞인 공기가 귓가에 힘없이 주저앉는다.

내 새벽엔, 내 새벽엔 색깔이 없는 거 같아서 그랬어

이제 고작 몇 시간 뒤면 해가 뜬다.
모든 게 처음부터 없었단 듯이 햇빛에 우리가 타죽어버
렸으면, 피부도 뇌도 끈적이게 녹아내리면 좋으련만.

해가 뜰 때면 꿈에서 깨니 그런 꿈은 이루어지지 않는
다.

밤새 고민해 봤는데, 네 새벽은 황혼 빛일 거야
눈으로는 안 보이는 그런 색이야

네가 입꼬리를 올려 웃음을 짓는다.
너는 억지로 웃어 보일 땐 입만 웃는다. 습관처럼.

# 말벌 시체

차마 토해내지 못 한 울분을 간직한 채
죽어버린 것들은

심장이 멎은 몸에 맹독이 서려있기도 하였고

# 3부, 입춘 (사랑)

## 사랑이란

한순간 웃음에도 모든 걸 내어주고 아깝지 않은 것

## 요리

싱겁고 심심하고
칙칙한 내 삶에

두근거림 한 꼬집 넣고
아름다움 한 줌 넣어서
따뜻하게 데우면

그게 너다

## 해방

난 세상을 다 가진 듯 웃으며 사는 이들을 시기했다

어느 날 네가 나타나고선
내 세상이 되었다

모든 열등으로부터 해방되었다

## 품

뜨겁게 열을 다하면
눈을 감고
심장 소리에 귀를 묻고

서툴게 가두어져
식어버린 모든 걸 따스히 데우는

# 기도

욕심 품은 상식이 빚은
내 몸에 쌓인 때

무자비하게 씻겨내려 줄 그 맑은 물이
부디 내게 폭포처럼 쏟아지기를

## 글에는

글에는 소리가 있다
글에는 냄새도 있다
어떤 글은 너무 환상적인 소리와 향기가 있어
그 아름다운 낭만에 매료되면 도무지 벗어날 수 없다

나의 글에는 네가 있다

# 고백

정예진 씀

세상에는 견딜 수 없는 것들이 있다
간혹 사랑이란 이름의 충동이 든다

# 허그

몸이 붕 뜨고
따뜻해진다

사람의 품에도 기억이 깃든다

아, 사랑스럽고 고요한 감정

피붓결이 녹도록 오래 잠겨야지

요 며칠 머물던
혀가 아린 맛을

오늘 고백할 거야

## 가벼운 짐

안 맞는 사람끼리 사랑에 빠지는 이유는
사람이 속은 게 아니야

사랑이 강해서 그래
뭐든 다 상관 없어질 만큼

*서로의 단점은 그냥 눈감아주는 거야?*

아니, 직시하고 끌고 가는 거야
손 잡아주면 금방이야

# 촛불

종일 방황하며 튀던 내 불씨는
네 가슴속 심지에 붙을 때면
일렁일렁
청춘처럼 타올라,

맞잡은 손의 온기가 때론 삶을 전부 밝히지

우리 계속 이렇게 서로를 태워버리자
불꽃이 멎는 찰나에도
그 여운에 웃을 수 있도록

우리 사랑은
숨이 죽을 때까지도 뜨겁게 녹아내릴 거야

## 실존

신이시여
제게 영원한 사랑을 허락하소서

신이 대답하길

영원하지 않은 것은 사랑으로 만든 적이 없다
허나 네 영원을 믿는 믿음에 수명이 있지 않느냐

그날 영생도 생을 마무리 지었다

## 조개

왜 나에게만 진주가 없을까
나도 빛나고 싶은데 초라해
투덜거리며
뻐끔 뻐끔

푸념, 한탄 품은 공기방울
몇 개 올라올 정도로만
작게 벌리고선
뻐끔 뻐끔

바보 같은 조개야,
입을 한껏 벌려야 반짝이는 진주가 보이는 걸 모르지
너는 활짝 웃을 때가 가장 눈부신 걸 너만 모르지

# 그늘에 사는 사람들도 사랑을 한다

그늘에 사는 사람들도 사랑을 한다

빛을 끄고

서로를 부둥켜안고 각자의 설움을 토했다

온기보다는 한기를 주로 나누었다

그 속에서
가볍고 초라한 기쁨을 솎아내는 일은
그들이 하루를 무사히 마치는 방법이다

꽃 대신 곰팡이가 예쁘게

피었다

# 뜰

그대 내 집이 되어
내 전부를 품어주어요

나의 오후에는 술 대신 봄이 있고
나의 자정에는 밤 대신 해가 있고

또 모든 아픈 하루의 마무리가
내겐 당신인 것을

방치했을 때 고독이었던 것이
가꾸었을 때 사랑으로 자라서

지금 그대 표정 하나 손짓 하나에
피어 있습니다, 한껏 투명하게

# 눈싸움

**정예진 씀**

난 걸핏하면 네게 눈싸움을 하자고 했다
널 한 시라도 못 보는 게 아까워 그랬다

# 새 봄

축복처럼 넌 내려왔지

내 손을 데우고
내 눈을 밝히고

꽃을 알면 꽃말을 알 듯
너를 알고 사랑을 알았어

생명의 계절이 오려나 봐

세상의 이치에 맞추는 척
눈 녹은 땅에 씨앗을 심자

네가 있는 매일이 제설인 겨울로부터의
봄맞이

# 미화

미화란 없다
아름다움을 들추는 일만이 있다

# 천천히 일어나기

잘 넘어지고
늪에 자주 빠진다

그러나 당장 나아지려 몸부림칠 필요 없다
어떤 상실에도 천천히 일어나기로 다짐했었다

몸부림을 멈출 때
고통을 곱씹는 일도 멈춘다

시간은 이제 나와 발을 맞추어 걷고
천천히 걸을 때 마주치는 예쁨이 있다

괴로움을 느리게 방생하였다

모든 시의 글감이 되어주는
나의 사랑하는 사람들에게
이 책에 담긴 전부를 바칩니다

-

꽃을 알면 꽃말을 알 듯

발 행 | 2024년 01월 17일
저 자 | 임재의

펴낸이 | 한건희
펴낸곳 | 주식회사 부크크
출판사등록 | 2014.07.15.(제2014-16호)
주 소 | 서울 금천구 가산디지털1로119, SK트윈타워A동305호
전 화 | 1670 - 8316
이메일 | info@bookk.co.kr

ISBN | 979-11-410-6715-1

www.bookk.co.kr